土壤

TURANG

台湾牛顿出版股份有限公司　编著

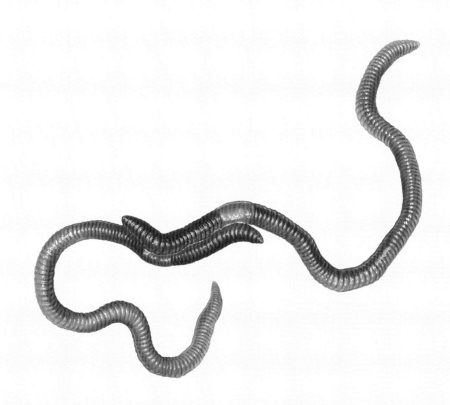

接力出版社
Publishing House

桂图登字：20-2016-224

简体中文版于2016年经台湾牛顿出版股份有限公司独家授予接力出版社有限公司，在大陆出版发行。

图书在版编目（CIP）数据

土壤／台湾牛顿出版股份有限公司编著. —南宁：接力出版社，2017.3（2024.1重印）
（小牛顿科学馆：全新升级版）
ISBN 978-7-5448-4758-2

Ⅰ.①土… Ⅱ.①台… Ⅲ.①土壤－儿童读物 Ⅳ.①S15-49

中国版本图书馆CIP数据核字（2017）第029221号

责任编辑：程　蕾　郝　娜　　美术编辑：马　丽
责任校对：杨少坤　　责任监印：刘宝琪　　版权联络：金贤玲
社长：黄　俭　　总编辑：白　冰
出版发行：接力出版社　　社址：广西南宁市园湖南路9号　　邮编：530022
电话：010-65546561（发行部）　　传真：010-65545210（发行部）
网址：http://www.jielibj.com　　电子邮箱：jieli@jielibook.com
经销：新华书店　　印制：北京瑞禾彩色印刷有限公司
开本：889毫米×1194毫米　1/16　　印张：4　　字数：70千字
版次：2017年3月第1版　　印次：2024年1月第11次印刷
印数：121 001—129 000册　　定价：30.00元

目 录

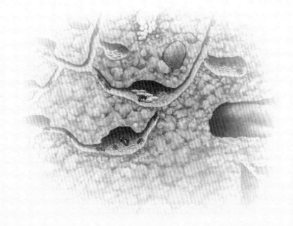

写给小科学迷

　　地球是由岩石构成的球体,一层零到数十米厚的土壤覆盖在地表上,它是地球上所有生物直接或间接的食物来源哟!我们终日踩在土壤上,你知道它是怎么来的吗?其实,大自然形成土壤非常不容易,要如何才能保住土壤呢?另外,我们将介绍大自然的推土机——蚯蚓,看看它如何在泥土中生活。本书将让你知道许多地底世界的秘密,十分精彩哟!

脚踏实地话土壤

"哇！脚踏实地的感觉真好！你也一起来玩泥土吧！"

我们所居住的地球是一个由岩石构成的球体，地表上覆盖有一层零到数十米厚的土壤。别小看这一层薄薄的土壤，它是地球上所有生物直接或间接的食物来源。我们终日踩在它的上面，你对它又了解多少呢？

土壤是怎么来的?

　　土壤的前身是岩石，岩石受到风力、水力、气候等因素的影响逐渐崩解。先是崩解成大型的岩片，再碎裂成较小的岩块，最后变成了更细小的泥土物质，称为"土壤母质"。土壤母质再和水、空气以及腐殖质、微生物等物质长久作用，才成为真正的土壤。

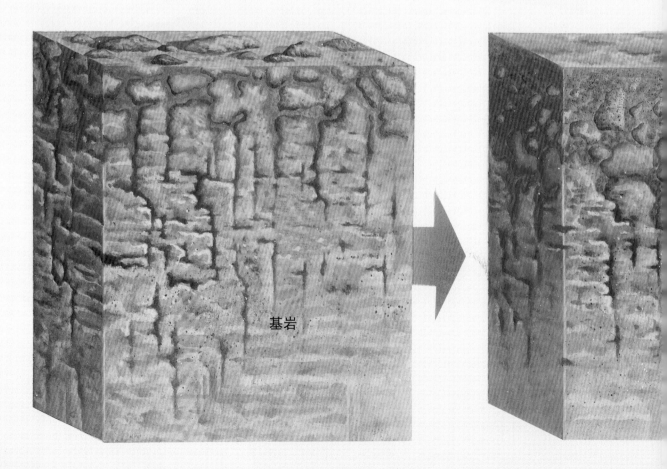

基岩

土壤的垂直剖面分为数层，最底下的为基岩，其他层由下往上依序为风化层、底土层、表土层，而在土壤的顶部则是腐殖质层。

腐殖质层

表土层

底土层

风化层

基岩

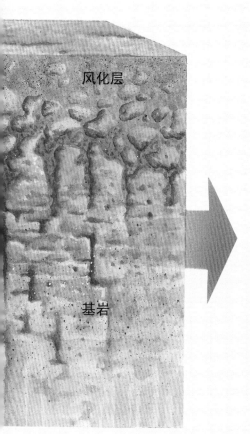

风化层

基岩

底土层

风化层

基岩

化腐朽为神奇

　　别小看落叶、枯枝和动物的尸体，它们可是土壤的养分呢！由于植物可以从矿物中直接摄取养分，并将大气中的氮转化成蛋白质，因此在土壤还是岩石状态时，累积植物养分的腐殖质层已经开始形成。这些植物死后会被微生物（如细菌）分解成其他较大植物生长所需要的养分，于是较大植物的根系便能更深入地下，辟出许多空隙，使更多的水、空气和动物能进入地下，加速岩石的崩解。而动植物死后被分解成有机物质，和岩石碎粒混合在一起，便形成更适合万物生长的"土壤"。

腐殖质层

形形色色的土壤

　　时间、土壤母质、地形、气候、植物生长等是决定土壤种类的五大重要因素。土壤的种类很多，有的是以形成的时间长短来分，有的是以形成的方式来分，有的则是以所含的物质成分来分。总之，每种土壤都各有特色，农民便是依照土壤种类的特性，来决定应该种植哪一种作物。以下这么多种的土壤中，你认得几种呢？

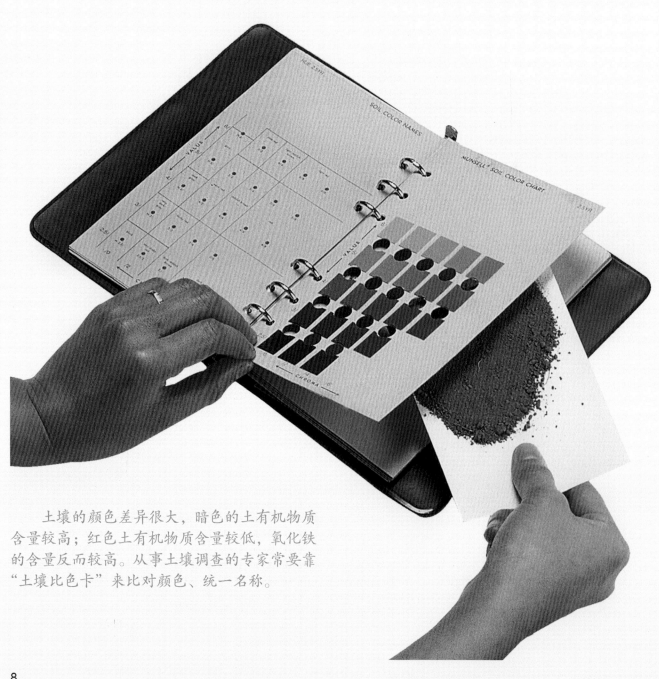

　　土壤的颜色差异很大，暗色的土有机物质含量较高；红色土有机物质含量较低，氧化铁的含量反而较高。从事土壤调查的专家常要靠"土壤比色卡"来比对颜色、统一名称。

黏板岩冲积土

图片作者：王明果

片岩冲积土

图片作者：郭鸿裕

黏土

图片作者：陈尊贤

黑色土

图片作者：陈尊贤

石质土

图片作者：向为民

崩积土

图片作者：陈尊贤

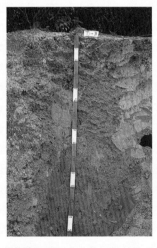

黄壤

图片作者：王明果

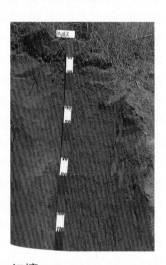

红壤

图片作者：王明果

砂页岩冲积土

图片作者：陈尊贤

幼黄壤

图片作者：陈尊贤

灰化土

图片作者：陈尊贤

灰壤（淋淀土）

图片作者：陈尊贤

用手摸的感觉不一样

为什么有的土摸起来湿湿黏黏的，有的土摸起来却是粗拉拉的呢？

原来，组成土壤的土粒也有大小之分。土粒直径大于 2 毫米的称为"砾石"，直径在 0.05—2 毫米的称为"砂粒"，直径在 0.002—0.05 毫米的称为"坋（bèn）粒"，小于 0.002 毫米的话，就叫作"黏粒"。依照各种土粒所占的比例，可以区分土壤质地的种类。例如，砂粒含量较高的土壤属于"砂土"，黏粒含量较高的土壤则属于"黏土"，而介于两者之间的便是"壤土"。大小土粒的比例不一样，摸起来的感觉当然也不一样！例如，砂质土摸起来通常是粗拉拉的，而黏土摸起来的感觉是湿湿黏黏的。

砂土

壤土

黏土

土粒大小有什么关系？

首先，让我们做个小小的实验，将砂土、壤土、黏土分别加水稀释后，用滤纸过滤。你会发现三种土中，在同一测试时间内，水渗出的速度与量并不一样，水渗出最快、最多的是砂土，其次是壤土，最后是黏土。这是因为砂土的土粒排列最松，中间有许多大空隙，水分容易通过；黏土正好相反，土粒结构比较紧密，大多是小空隙，水分自然不容易通过；壤土则刚好介于两者之间，于是它成了最适合耕种的土壤。

黏粒在农业上扮演着非常重要的角色，它可以吸附植物所需要的养分，如铵离子、钙离子、镁离子等，使土壤保持肥力。如果土壤中黏粒比例太少，土壤便无法留住养分；但如果黏粒太多，也会阻碍空气和水的流通，影响通气及排水状况。因此农民最喜欢砂粒、坋粒和黏粒含量大致相等，且含有足够腐殖质的壤土。

无孔不入

　　自然状态下的土壤，看起来很结实，其实在土粒和土粒之间还有许多孔隙，这些孔隙是水、空气、微生物及植物根系的通道，其中水和空气占了一大半。这可不是乱吹牛哟！让我们动手做做下面两个实验，你就会明白了。

　　找一个容器，装满石头代表土粒。注意，一定要装得很"满"哟！

　　将水倒入容器里。你瞧，在装"满"石头的容器里还可以倒入水，表示容器里还有许多缝隙。

取一把刚挖
出来的土壤，称
一称它的重量。

将土壤放在锅里炒一炒，
直到土壤颜色变淡，摸起来很
干燥为止。

再称一称翻炒后
土壤的重量，会发现
炒过的土壤变轻了，
这是因为土壤中的水
分已经蒸发。

15

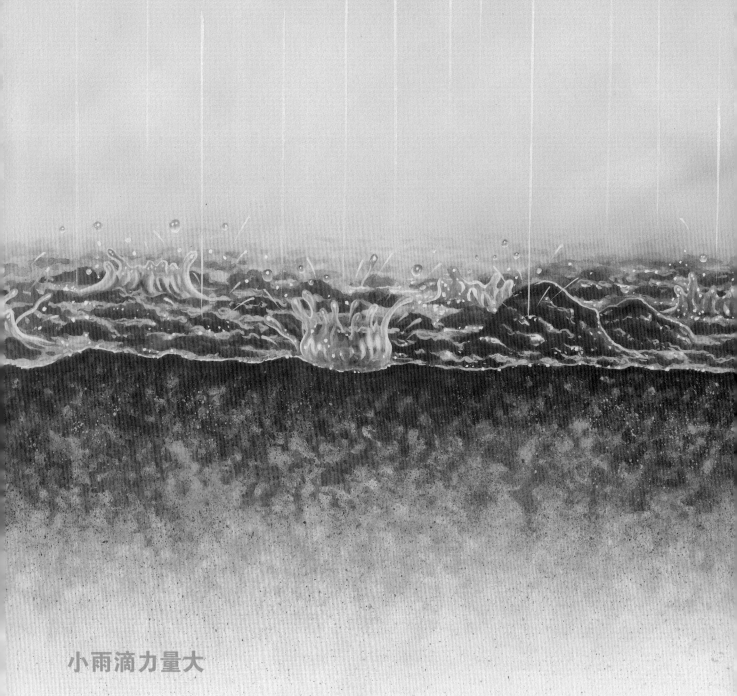

小雨滴力量大

"雨滴打在土壤上，好像炸弹炸开花哟！"

别小看了雨滴的力量，它可是能把土粒打散的。

地表的土壤会受到风、水等自然力量的影响，当然也会受到人为的影响。土壤一旦流失，其中的养分也一起流失，不再那么肥沃，作物的产量自然也会降低。而泥水挟带砂石流进河道，淤塞了河床，容易造成水灾，常常使得大量生命、财产毁于一旦。种植林木可以降低雨滴直接打在土壤上的概率，因而可以减少土壤流失。

人们为了取得更多的耕地，或为了盖房子、开辟道路及增建各种设施，往往乱伐森林、滥垦坡地，结果反而加速了土壤被冲蚀造成的流失。

抢救土壤

    大自然需要 300—1000 年的时间才能形成大约 2.5 厘米厚的土壤，要是我们不好好保护它们，只要数年，甚至数天的时间，这层薄土便会完全被冲刷掉。如果地表有植物或枯叶、碎石覆盖，便可以避免雨水直接冲刷土壤，减少土壤的冲蚀量。所以想要拯救土壤，别忘了替它穿上一件特制的雨衣哟！

山边沟

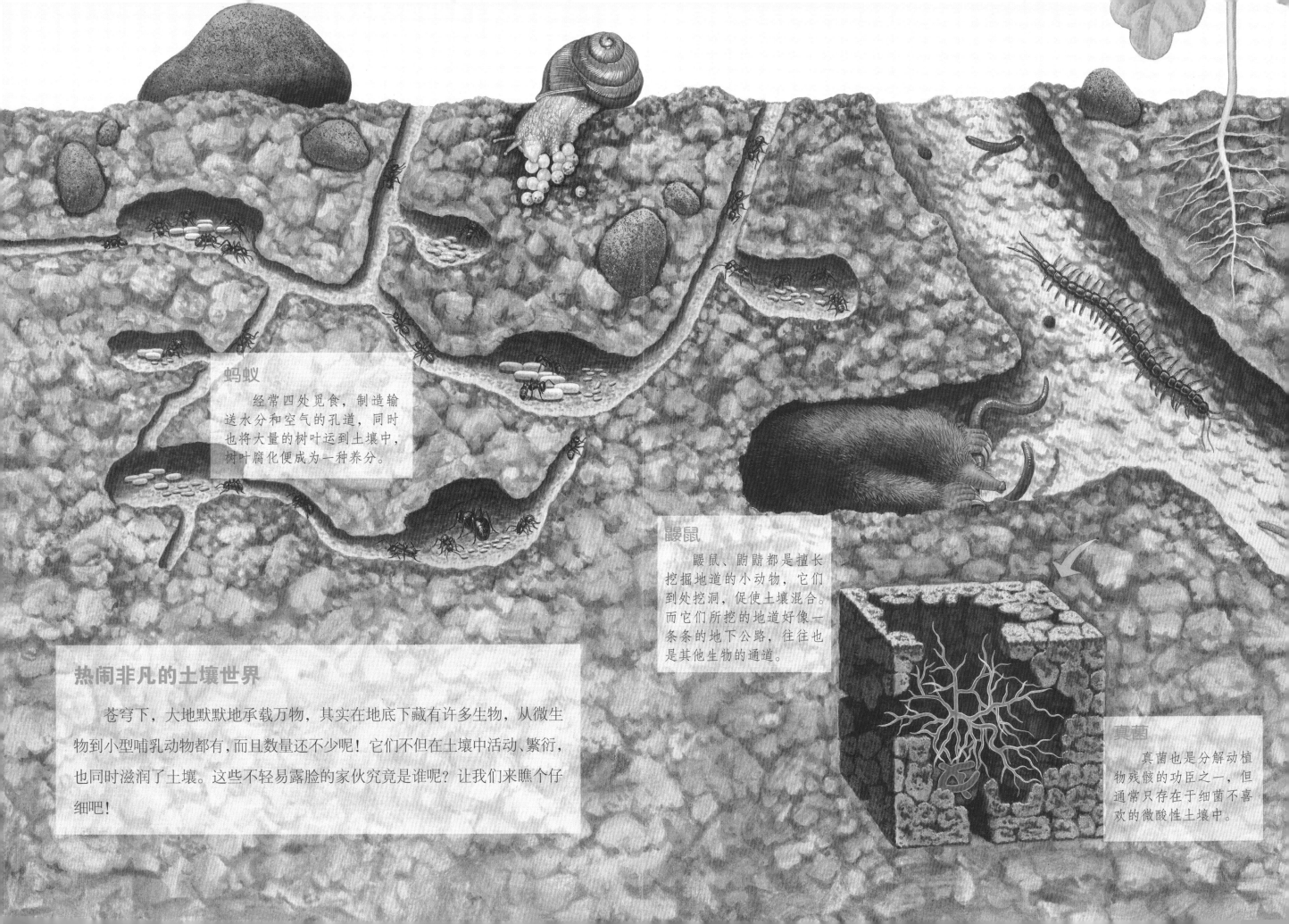

蚂蚁

经常四处觅食，制造输送水分和空气的孔道，同时也将大量的树叶运到土壤中，树叶腐化便成为一种养分。

鼹鼠

鼹鼠、鼩鼱都是擅长挖掘地道的小动物，它们到处挖洞，促使土壤混合。而它们所挖的地道好像一条条的地下公路，往往也是其他生物的通道。

热闹非凡的土壤世界

苍穹下，大地默默地承载万物，其实在地底下藏有许多生物，从微生物到小型哺乳动物都有，而且数量还不少呢！它们不但在土壤中活动、繁衍，也同时滋润了土壤。这些不轻易露脸的家伙究竟是谁呢？让我们来瞧个仔细吧！

真菌

真菌也是分解动植物残骸的功臣之一，但通常只存在于细菌不喜欢的微酸性土壤中。

水土保持的方法很多，不同的地形、土质，运用的方法也不尽相同。例如必须在坡地种植时，沿着等高线耕作，并开辟山边沟，可以达到保土蓄水的效果。同时，种植蓄水性较佳的植物，如百喜草、地毯草、竹节草等对保持水土也很有帮助。

百喜草

19

孕育万物的母亲

我们吃的蔬菜、水果、粮食等都是从土壤中种植出来的。不仅是人类，还有许多生物的食物来源也要仰赖土壤。但是覆盖在地表的土壤，最肥沃的可耕土却往往只有几十厘米厚，加上大部分的陆地不是过于荒寒、干旱，就是过于炎热或是过于潮湿，根本不适合种植，算起来每个人平均只有极少的土地来生产食物。面对这位伟大的大地母亲，你是不是觉得要更加爱惜她呢？

扫一扫，看视频

土壤与植物

20

植物

尤其是禾本科植物，根部腐烂后会被细菌分解成养分，是土壤中有机物质的主要来源。

蚯蚓

有"大地的肠子"之称的蚯蚓，几乎只在地下活动，它除了会翻松土壤外，所排出的粪便也滋养了土壤。

翠鸟

蝉若虫

褐鼠

细菌

随便抓起一把泥土，里面便含有数十亿个微生物，其中包含了细菌、真菌和藻类。这些微生物最重要的工作是把动植物的尸体分解成腐殖质，再转化成植物容易吸收的养分形态，其中又以细菌的功能最大。

土壤生病了

很久之前，农民便知道将动物的粪便或尸骸加入土壤中会使作物生长得更好，这是因为里面含有作物生长所需的养分。后来，人们为了使作物增产，又研制出各种化学肥料，但是过度使用化学肥料及渐渐减少使用有机堆肥，反而会造成土质越来越差，加上土壤被冲蚀、大量使用农药及工业污染等因素，许多耕地遭受破坏，无法继续耕作，最后只好被弃用。

25

26

让土壤生生不息

不同的作物所需的养分也不一样，为了保持土壤的肥沃，"轮作"是个不错的方法。所谓"轮作"，就是避免在同一块土地上年复一年地种植同样的作物，这样才不会使土质越来越差，也可以防止病虫害的发生。

有些植物的茎、叶埋入土中，腐烂后便成了最佳肥料，这类植物称为"绿肥植物"。"取诸自然，还诸自然"，才是让土壤生生不息、永葆活力的最佳方法。

油菜

紫云英

田菁

绿肥作物大多是豆科植物，它们的根部会和根瘤菌共生，形成根瘤，可将空气中的氮转化为含氮化合物，供植物使用，所以绿肥也可以说是一种天然的氮素肥料。

白花三叶草

大豆

大自然的推土机——蚯蚓

"哎，下雨了，我们赶快到凉亭那边躲雨吧！"

"你们看，那边地上有好多蚯蚓！"

星期六的下午，和班上同学到家附近的小公园玩，没想到竟然下起了雨，我们只好赶快躲到凉亭里。等雨停后，我们发现附近的泥土地上有好多蚯蚓在爬呢！我们对蚯蚓都不太了解，为了多了解它，我们找了一个塑料袋，装了一袋土，带了几条蚯蚓回家。

蚯蚓是靠皮肤上的微血管进行气体交换的，所以必须经常保持皮肤的湿润，但如果长期泡在水中，反而会窒息而死。因此，大雨过后，蚯蚓常因土壤中积水太多而爬到地面上来呼吸。这时是它们的危险时刻，因为一些鸟、爬行类动物会趁机来饱食一顿。如果在天晴后，它们仍没找到可以藏身的地方，就会被晒死！

蚯蚓的秘密

仔细观察蚯蚓，它圆圆的身体竟然还分成一节一节的，其中有一节特别粗，那是什么结构？蚯蚓没有脚，是怎么移动的？它的眼睛、嘴巴和鼻子在哪里呢？

表皮

蚯蚓既没有眼睛，也没有鼻子、耳朵，由于表皮有许多感觉细胞，所以它具有灵敏的触觉，并能对光线做出反应。

环带

体节中比较粗、颜色较浅的一节叫"环带"，环带的位置会依蚯蚓种类不同而有差异。

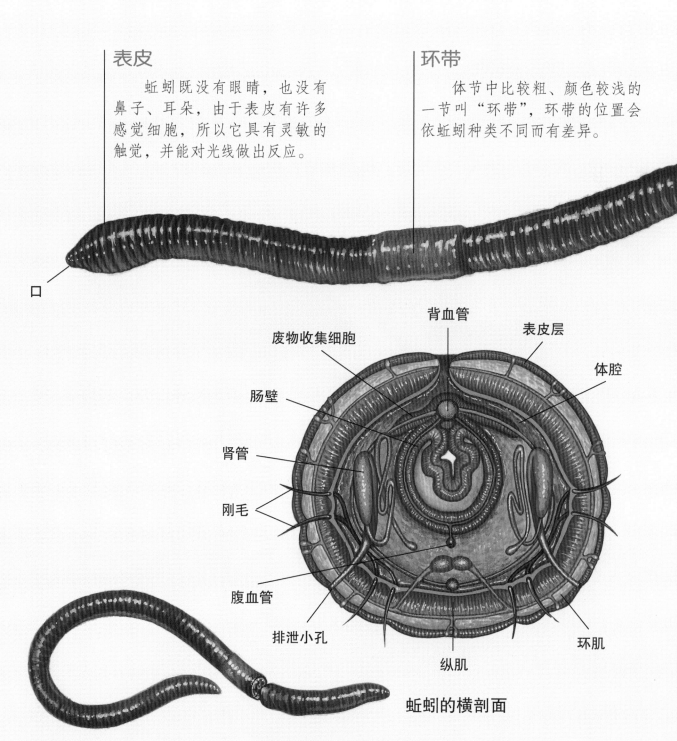

口

背血管

废物收集细胞

表皮层

肠壁

体腔

肾管

刚毛

腹血管

排泄小孔

纵肌

环肌

蚯蚓的横剖面

环节

蚯蚓是由许多形状相同的环节联结而成，一条蚯蚓约有110—180个环节，依种类而有不同节数。

蚯蚓的再生

蚯蚓具有很强的再生能力，它的身体被切断后，会再长出缺少的那部分。

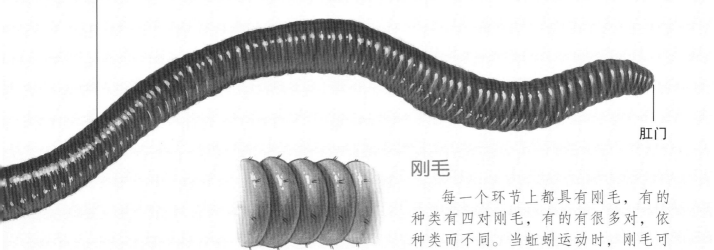

肛门

刚毛

每一个环节上都具有刚毛，有的种类有四对刚毛，有的有很多对，依种类而不同。当蚯蚓运动时，刚毛可以固定身体，防止后滑。

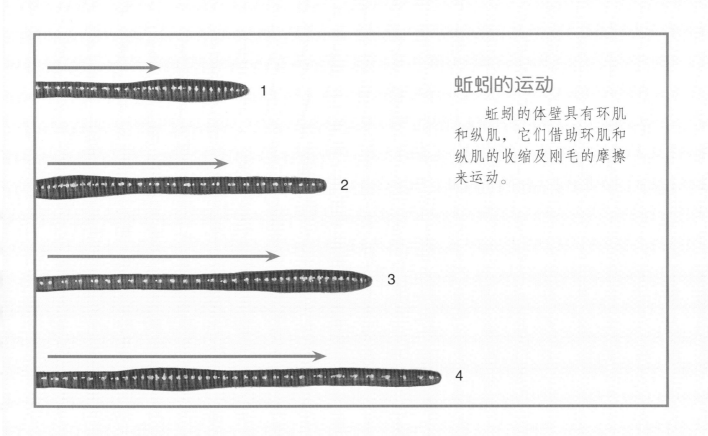

1

2

3

4

蚯蚓的运动

蚯蚓的体壁具有环肌和纵肌，它们借助环肌和纵肌的收缩及刚毛的摩擦来运动。

让我们来养蚯蚓吧！

"我们来养蚯蚓好不好？"

"好呀！但是要用什么养呢？"

观察过蚯蚓后，我们决定要养它，但是我们不知道应该用什么养，怎么养，于是我们跑去问科学老师。老师告诉我们用平常养鱼、养小昆虫的塑料饲养箱就可以了，但是蚯蚓大概生活在深10—20厘米的泥土中，所以要用大的饲养箱，装入厚度25厘米以上的土壤并且压紧，然后放上枯叶就行了。

老师提醒我们，土壤要保持湿润，并且放在阴凉的地方，记得要盖上透气的盖子，免得蚯蚓爬出容器。

蚯蚓吃些什么？

蚯蚓喜欢吃的食物种类很多，落叶、朽木、果皮、青菜的黄叶等都可以喂它吃。

在自然环境中，蚯蚓是吃落叶、腐烂植物或土壤中的有机质。落叶和腐烂植物经过它的消化分解后，再经微生物的作用，就能为植物生长所利用，所以蚯蚓在大自然中扮演了很重要的角色。

另外，蚯蚓吃入的泥土经砂囊、肠子压碎及消化吸收后，其余残渣便排出体外，这些排出的粪便混有蚯蚓肠内的分泌物和微生物等有机质，能使土壤更加肥沃。

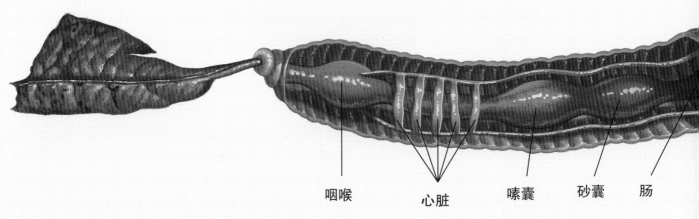

咽喉　　　心脏　　　嗉囊　　　砂囊　　肠

食物分解过程

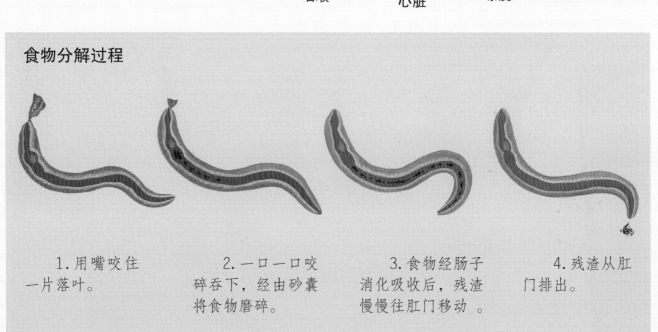

1. 用嘴咬住一片落叶。

2. 一口一口咬碎吞下，经由砂囊将食物磨碎。

3. 食物经肠子消化吸收后，残渣慢慢往肛门移动 。

4. 残渣从肛门排出。

我们来看看蚯蚓松土的能力吧。

在透明的玻璃箱或塑料箱中，放入几层不同颜色的土并铺上落叶，再放入几条蚯蚓。

过了几天，泥土被蚯蚓翻松且混合了，并且可以看到很多通道。

多在夜晚钻出地面

"听说蚯蚓晚上才会爬到地面上活动，我们来看看，养的蚯蚓是不是也会在夜晚爬出来？"

"啊！真的有蚯蚓爬出来了。"

蚯蚓的皮肤对光很敏感，无法承受阳光直接照射，所以它们大多是在晚上才爬出来活动，有时候是出来找食物，有时候则是到地面排泄粪便。

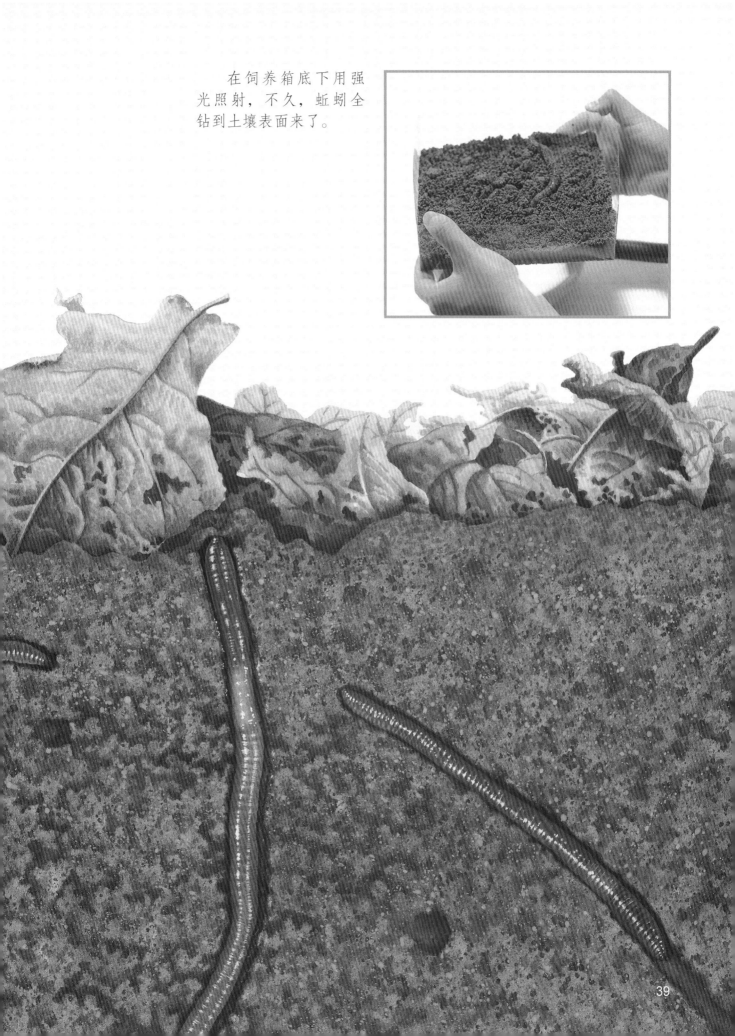

在饲养箱底下用强
光照射，不久，蚯蚓全
钻到土壤表面来了。

奇怪的繁殖方式

"你们看，两条蚯蚓贴在一起，它们在做什么呢？"

"它们正在交配呢！"

蚯蚓是十分奇特的动物，它们的体内同时有雌、雄两种生殖器官，但它们是异体受精。在交配时，两条蚯蚓会以头尾相反的方向靠近，这时环带会分泌黏液，将两个身体黏附在一起，只在接触的地方留一个沟槽，让精子进行交换，交换过来的精子会先贮藏在受精囊内，然后两条蚯蚓就分开了。

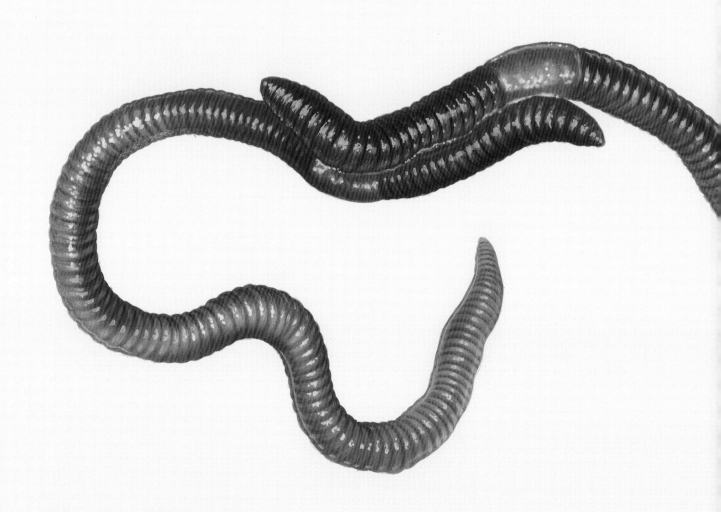

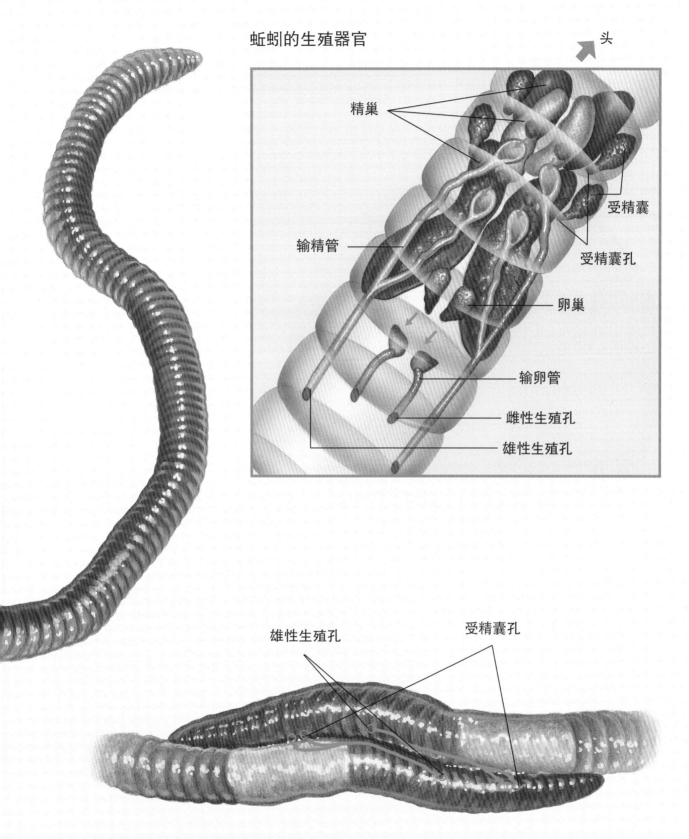

蚯蚓的生殖器官

头

精巢

输精管

受精囊

受精囊孔

卵巢

输卵管

雌性生殖孔

雄性生殖孔

雄性生殖孔

受精囊孔

　　交配时，精子会从雄性生殖孔排出，沿着沟槽进入另一条
蚯蚓的受精囊孔内，然后贮存在受精囊中。

蚯蚓宝宝的诞生

"你们看，蚯蚓的环带上出现了白白的膜，蚯蚓还不断扭动身体，是在干什么呀？"

在蚯蚓交配后一个星期左右，我发现蚯蚓的环带外出现一圈白色的胶状物质，而且蚯蚓还不停地扭动身体，把这个膜往前挤，后来我才知道，原来蚯蚓正在产卵呢！

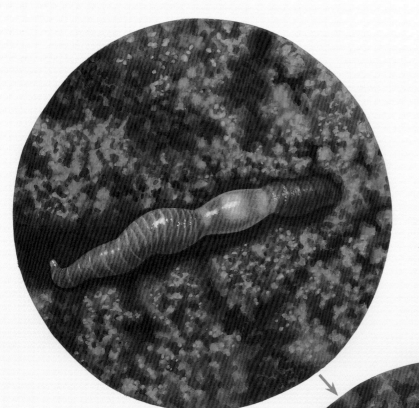

产卵时，蚯蚓会先由环带分泌黏液，形成卵囊，并将卵排入。

然后身体不停地扭动，使身体慢慢往后退，卵囊便会往口的方向移动，在经过受精囊孔时，精子会被排入卵囊中完成受精。

蚯蚓的卵囊刚形成时颜色较淡，之后会慢慢变深。大约两三个星期，小蚯蚓就会破壳而出，一个卵囊能孵出十几条小蚯蚓，小蚯蚓经过三到四个月就会成熟，并能产卵。

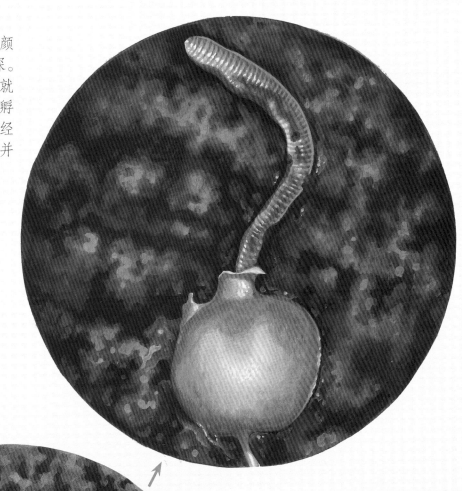

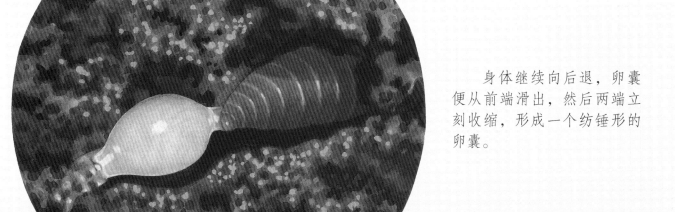

身体继续向后退，卵囊便从前端滑出，然后两端立刻收缩，形成一个纺锤形的卵囊。

陶土瓷土变化多

猜猜看，我正在做什么？

没错，玩黏土。黏土好玩的地方就是可以任意捏成想做成的东西。捏成碗可以盛水，捏成盘子可以盛食物，真是有趣极了。

其实我们日常生活中用的陶器跟瓷器，制作材料就是黏土，黏土的黏性很高，容易捏制成各种形状。软软黏黏的黏土，是怎么变成我们使用的陶器跟瓷器的呢？

 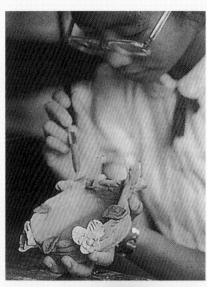 

陶器的由来

　　人类使用陶器的历史很悠久，一万年前，人们就已经开始使用陶器了。老祖宗无意中发现，只要将黏土捏制成型，晾干后会变硬，可以拿来盛装物品。学会用火后，发现成型的黏土制品用火烧过，就更不易渗水及破损，变得坚固耐用，这就是最早的陶器。

陶瓷的制作

刚开采的黏土颗粒大，又有很多杂质，必须经过多次粉碎、沉淀，最后得到的坯土才可以用来制作陶瓷。为了去除杂质及气泡，使坯土更紧密，必须将坯土充分揉捏，称为"练土"。用陶瓷土做器物，首先要做坯，也就是把泥土做成器具的形状，这个过程叫"成型"。成型的方式可以是用双手捏，或是用机器拉坯，大量制作的陶瓷也会利用模型成型。坯体成型后，必须放在阴凉通风的地方，自然阴干，排除坯体内的水分，否则在烧制的时候，很容易变形或裂开。

瓷土成型的过程

1. 将瓷土原料放进大桶中搅拌，大约经过24小时后，变成稠糊状才能使用。

2. 将搅拌均匀的瓷土浆倒进模型中静置，等候干燥成型。

3.将模型打开，取出干燥成型的坯体。

5.坯体成型后，放在阴凉的地方自然阴干。

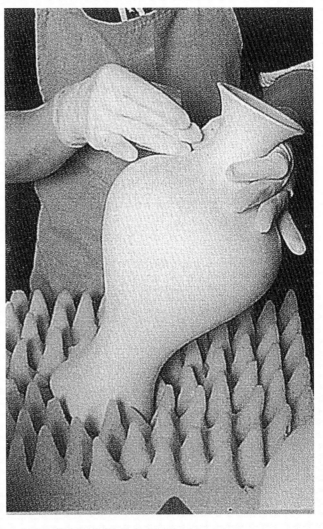

4.用砂纸修整坯体表面。

用双手捏出物品形状的方法

圈泥成型：将黏土揉成圆条状，一层一层圈围上去，制成器物。制作大型水缸大多采用这种方法。

辘轳成型：辘轳是一种可以旋转的圆盘。把黏土放在圆盘上，当辘轳转动时，配合双手的动作，就可以拉制出圆形的器物。

陶瓷变身的地方——窑

坯体阴干成型后，接着要送到窑里，利用高温烧制，进行素烧。窑的内部是密闭的空间，这样才可以提高燃料燃烧的效率，也比较容易控制窑内的温度。烧制的过程是一项很辛苦的工作，至少要连续烧一天以上，有时甚至要十天半个月，因此必须有专门的人在窑炉旁看守，随时添加燃料。

素烧完的陶瓷颜色只有一种，看起来不好看，所以接着就要来帮这些陶瓷上色，让它们变身成色彩鲜艳的美丽陶瓷。

窑内的温度很高，要注意安全哟！

素色鸡怎么变彩色鸡？

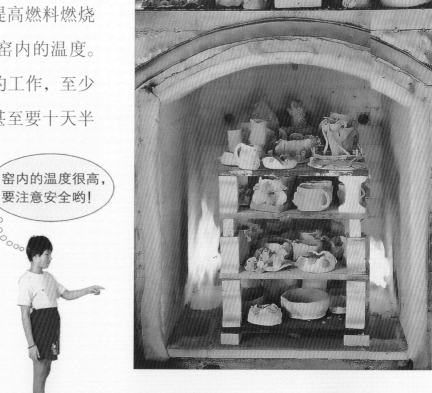

将成型的坯体排列在架上。

推进瓦斯窑中烧制。

48

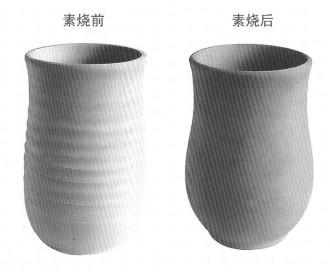

素烧前　　　　　　素烧后

素烧：已经干燥的坯体，不上釉，以800—850摄氏度的温度烧制，称为素烧。这样可以使坯体不易变形，遇到水也不会崩解。

以前的窑是用木柴当燃料，现代的窑有电窑、瓦斯窑等，利用电力、瓦斯来发热，烧制陶瓷。

柴窑

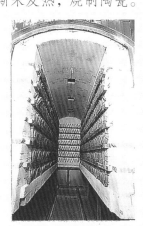

电窑

瓦斯窑

为陶瓷披彩衣

素烧完成的陶瓷，接着会涂上一层薄薄的釉，釉可以让陶瓷更不易渗水，也不易沾染脏污。上釉后，会再进窑内进行釉烧，釉烧烧制的温度可高达 1300 摄氏度。釉在高温烧制、冷却后，会在陶瓷上形成一层釉面，釉面坚硬光滑且有光泽，提高陶瓷的美观度及耐用度。釉的种类很多，不同的釉可以呈现出不同的颜色：若烧制后没有颜色，称为透明釉；有颜色的则称为颜色釉。

上釉的方法

上釉的方法有很多种，可以用浸泡、喷洒、浇淋或是用刷子刷上，主要是让坯体表面的釉均匀且有一定的厚度。

浇淋法

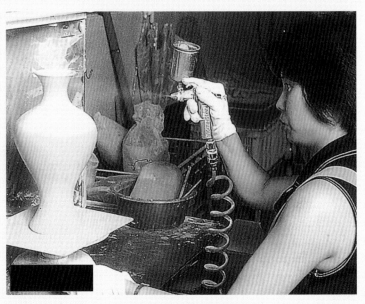

喷洒法

彩绘的方法

用笔蘸色料绘出图案。

用软塑料片将纸上的图案转印出来。

什么是釉下彩、釉上彩？

　　釉下彩：坯体素烧后，再绘上彩色图案，上釉后，以 1200 摄氏度以上的高温烧制，这种方法称为釉下彩。釉下彩的器物表面光滑，只要釉面完好，图案就可以长葆鲜艳。

　　釉上彩：坯体素烧后上釉，经过高温烧制，再绘上彩色图案，接着再上一次釉，再以低温烧制，这种方法称为釉上彩。釉上彩的图案纹路会突出釉面。

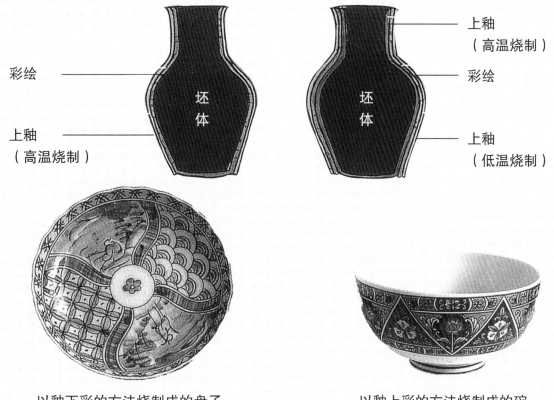

以釉下彩的方法烧制成的盘子

以釉上彩的方法烧制成的碗

第二次石器时代的来临

　　陶瓷具有隔热、绝缘、耐酸、耐高温等特性，是铁、塑料等其他材料无法比拟的。但是陶瓷易碎的特性限制了它的应用层面。科学家为了改善陶瓷的脆性，除了充分调配原料外，还严格控制烧制温度和时间，以提高强度。在制作技术改良后，精密陶瓷终于诞生。日常生活中不可或缺的各种电器用品的零件，已经大量使用精密陶瓷来取代金属、玻璃、光纤及塑料等材料。科学家们认为，精密陶瓷的开发，使得人类迈向第二次石器时代，精密陶瓷在 21 世纪将和人类的生活密不可分。

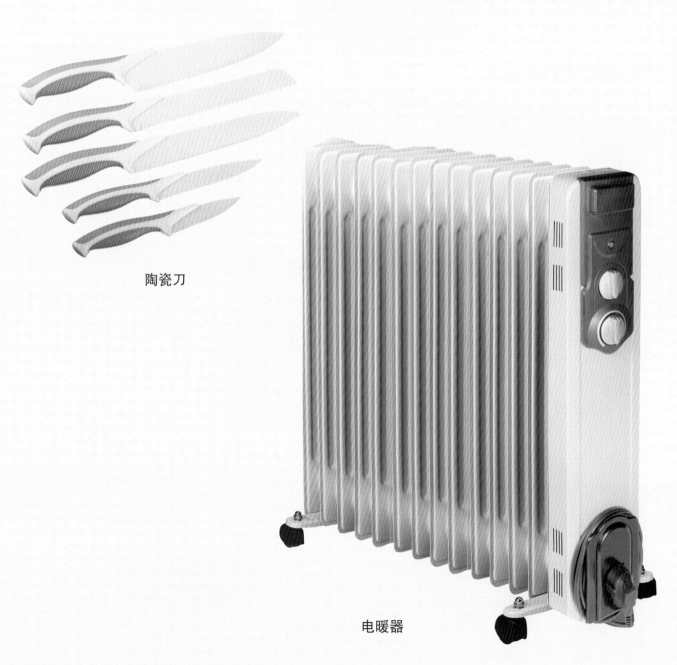

陶瓷刀

电暖器

生活中很多物品里面都有陶瓷，例如家中的电暖器中的陶瓷片，加热后可以让家里变温暖，电脑主板中使用陶瓷材料来帮忙散热，手机、电脑硬盘等电子产品中也有陶瓷材料，连切菜用的菜刀的刀刃都可以用陶瓷来制作。

平板电脑

手机

电脑硬盘零件

火花塞

电脑主板

是陶还是瓷？

人们有时候说"陶器"，有时候说"瓷器"，有时又叫"陶瓷"，究竟它们是不是同一种东西呢？

其实陶瓷是一般黏土制品的统称，指的是黏土或含黏土的混合物，捏塑成型后，经过烧制而成的各种制品。从瓦器到最精细的瓷器、精密陶瓷都属于它的范围。

陶器跟瓷器的原料虽然都是黏土，但是使用的黏土里面的成分并不相同。制瓷器使用的黏土称为瓷土，瓷土中的氧化铝成分比制陶器使用的陶土高，另外，陶器跟瓷器进窑烧制的温度也有所不同。

陶器有高温烧制品及低温烧制品，瓷器大多以高温烧制而成。烧制温度不同，成品的硬度、渗水性及敲打发出的声音也不一样。

低温烧制的物品，比较容易渗水。　　高温烧制的物品，不容易渗水。

低温烧制的物品容易刮出痕迹，高温烧制的物品不易刮出痕迹。

低温烧制的物品　　　　高温烧制的物品

敲一敲，哪个声音比较清脆？哪个声音比较低沉？

铿！

锵！

低温烧制的物品声音比较低沉。　　高温烧制的物品声音比较清脆。

谁偷走了泥土?

在开发快速的地区，常会发现，原本茂密的树林在很短的时间内就被夷为裸露的黄土地，除了景观被破坏，还造成一个很大的问题 —— 土壤流失！土壤为什么会流失？土壤流失和森林被砍伐又有什么关系？我们不妨来做个实验比较一下。

准备材料

细的透明软管 3 小段

胶皮水管

透明玻璃杯 3 个

扁平的方形饼干盒 3 个

泥土

草

小树

实验步骤

1. 在饼干盒的侧面打个小洞，把透明软管嵌入。

2. 在 3 个饼干盒中放入等量的泥土，一个里种一棵枝叶茂盛的小树，旁边则种些野草；另一个里只种野草；第三个里什么都不种。

3. 在户外放置一段时间，等植物生长茂盛时，就可进行下面的实验。

4.将3个饼干盒用东西垫高，装有软管的那一侧向下，另一侧斜靠在墙上，使饼干盒与地面成45度角，并在软管下各放一个玻璃杯。

5.将胶皮水管接上水龙头，然后按压胶皮水管头，用水喷洒每个饼干盒各10秒钟。

6.请你的朋友帮忙记录各个饼干盒从开始喷水到软管开始流出水的时间，最后比较3个杯子中的水量和颜色。

实验结果

　　1.什么都没种的饼干盒会最快流出水来,其次是只种草的饼干盒,最慢的是种了盆栽和草的饼干盒。

　　2.没种任何东西的饼干盒流出的水最多,而且也最浑浊,其次是只种草的,水最少和最清澈的是种了盆栽和草的。

哇!种了盆栽和草的那盒,几乎没流出水呢!

草十盆栽　　草　　裸露

水和土的关系

　　1.在实验中,3盒不同的栽种内容和倾斜摆的方式,是模拟坡地的利用情形。没有种任何东西的那盒泥土,由于缺乏植物的覆盖,水喷在泥土上,便会把土壤直接冲刷下来,所以水会最快流出来,水量也较多、较浑浊。而只被草所覆盖的那盒,由于有草,使得水对土壤的冲刷力量减小,因此流出的水也比较清澈。种了树和草的那盒,因为有树叶阻挡,加上草的覆盖,所以冲刷的力量最小,再加上树根具有吸水及能抓住土壤的功能,几乎没有流出水来。

　　2.在自然环境中,森林覆盖缓和了雨水对土壤的冲刷,并且能涵养水源,尤其是高山多的地区,水土保持十分重要。森林如果被砍伐来盖房子或栽种蔬果,裸露的土壤便很容易被冲蚀而流失,有时会破坏水源,甚至造成灾害。

宽阔的高尔夫球场上虽然种了草,却无法涵养水源,对土壤影响很大。

地底下的世界

阿英是条内向文静的小蚯蚓，很少到处乱钻乱跑；而哥哥小强却很活泼好动，常常四处探险。今天小强想到姑妈家玩，他还鼓动阿英跟他一起去，不知他们在路上会遇到什么事，我们也一起去看看吧。

玩法

1.把右页沿虚线剪下，再沿中间虚线剪开。

2.将两张长条形的纸片在粘贴处粘住。

3.将纸片上画有迷宫图案的部分朝内卷成圆筒状，就可以开始玩地底下的世界探险游戏喽！

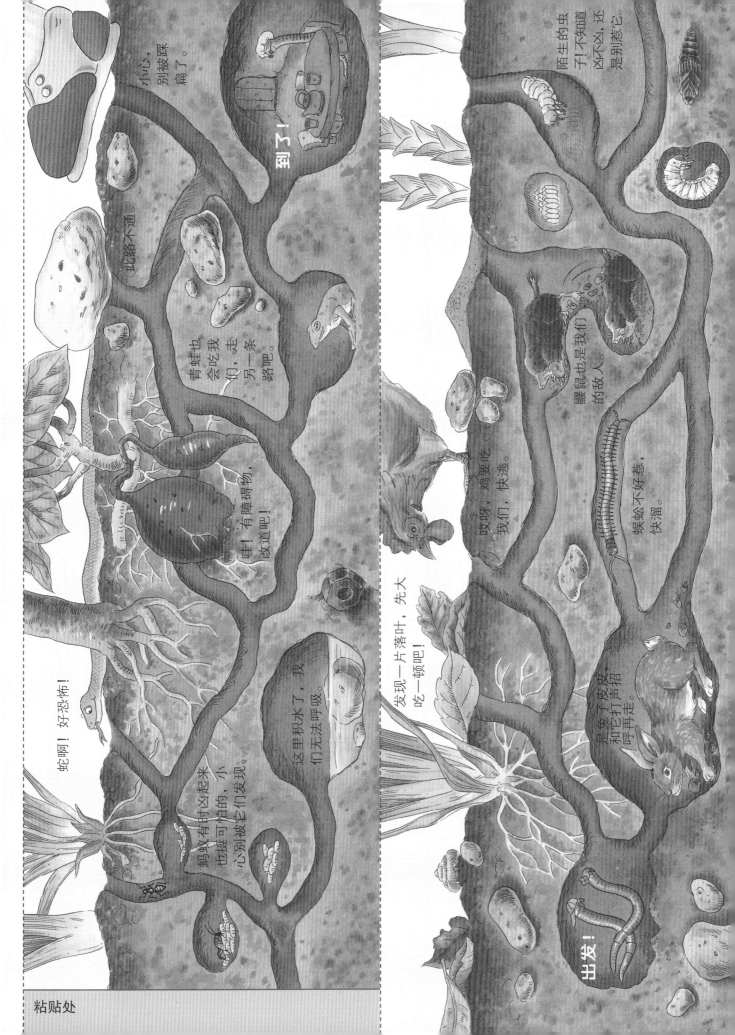

小牛顿 科学馆 全新升级版